독도의 생물다양성 II

해조류, 어류, 무척추동물

독도의 생물다양성 Ⅱ
(해조류, 어류, 무척추동물)

발 행 일 | 2021년 6월
저   자 | 황의욱(경북대학교)
사   진 | 김사흥((주)인더씨)

펴 낸 곳 | 애드팍
주   소 | 대구광역시 남구 봉덕로 5길 42-2, 5층
전   화 | 053)744-4457
이 메 일 | adpark744@naver.com

책값은 뒤표지에 있습니다.

ISBN 979-11-974645-2-2
ISBN 979-11-974645-0-8(세트)

독도의
생물다양성 **II**

해조류, 어류, 무척추동물

서문

최근 G7 정상 회의를 마치고, 문재인 대통령이 스페인을 국빈 방문했다. 스페인 국왕이 대통령께 직접 보여준 유럽의 고지도에는 독도와 대마도가 선조들이 물려주신 우리의 땅임을 보여주는 명백한 증거가 오롯이 새겨져 있었다. 가슴 벅찬 순간이었다. 일본은 1905년 러일전쟁을 위한 병참기지로 사용하기 위해 우리 땅, 독도를 무단으로 침탈했다. 독도에 망루를 세워 일본은 러일전쟁에서 승리할 수 있었다. 독도의 침탈은, 세계사에서 그 유래를 찾아 볼 수 없을 만큼 참혹했던 한반도 일제식민지화의 서막이었다. 1945년 해방되면서, 우리는 한반도와 그 부속 도서인 본래의 우리 땅을 수복하게 되었다. 이는 역사적 사실이다. 그럼에도 불구하고 2020 도쿄 올림픽을 맞아 일본이 올림픽 지도에 독도를 자국의 영토로 표기해 우리 국민의 공분을 사고 있다. 일본의 독도 영유권 주장은 우리에게 일제 식민지의 잔혹했던 기억을 되살리고, 독립 국가로서의 우리의 존엄을 심각히 훼손하는 일이다.

그동안 독도를 지키기 위한 정부와 민간단체의 노력은 눈물겹게 이어져 왔다. 아쉬운 점은 그러한 노력이 주로 정치적, 외교적, 사료적 관점에만 치중되어 왔다는 것이다. 독도의 실효적 지배력을 높이기 위해서는, 보다 다양한 양태의 노력이 필요하다. '독도 Dokdo'라는 이름과 함께 독도의 생물들을 발굴하여 세계에 널리 알리는 일도 독도 수호에 크게 일조할 수 있음은 자명한 일이다. 그동안 독도 생물상에 대

한 연구가 환경부, 문화재청, 경상북도의 지원으로 이루어져 왔으나, 독도 서식 생물 종들을 체계적으로 목록화하고 집대성하는 작업은 이루어진 바 없다. 환경부 산하 국립생물자원관은 지난 5년(2014~2019년)간 "독도 생물주권 확립을 위한 종합 인벤토리 구축사업"을 진행한 바 있다. 필자는 지난 20 여 년 동안 독도에 서식하는 생물에 대한 다양한 연구를 수행해 왔으며, 2017년부터 3년간 이 사업의 총괄책임을 맡아 연구를 수행했다. 해당 연구 성과의 일부를 정리하여 일반 대중들이 손쉽게 독도의 생물들을 찾아 볼 수 있도록『독도의 생물다양성 I, II』를 출간하게 되었다. 일반 독자들의 이해를 돕기 위해 가급적 전문적인 용어나 서술 방식은 사용하지 않았으며, 독도와 독도 인근 해역에서 흔히 관찰되는 300종의 독도 생물을 엄선하여 수록하였다. I권에서는 식물 50종, 곤충 50종, 조류 50종을 포함해 총 150종을 삽화와 함께 정리하여 제시하였고, II권에서는 해양에 서식하는 해조류 23종, 어류 19종, 무척추동물 108종을 포함하여 총 150종의 사진 자료와 함께 주요 특징을 정리하여 수록하였다. I권의 삽화 제작을 위해 김윤경 작가가 수고해 주었고, II권의 사진은 ㈜인더씨의 김사홍 박사가 제공해 주었다. 국립생물자원관의 재정적 지원과 출판에 대한 양해가 없었다면, 이 책이 대중들에게 공개되기는 어려웠다. 이 자리를 빌려 진심으로 감사를 드린다. 독도 생물종 인벤토리 구축사업에 참여한 모든 연구원들과 더불어, 원고 작성과 책 출판을 위해 세세한 도움을 준 경북대학교 동물분자계통학연구실의 최은화 연구교수와 신초롱 연구원에게 특별한 감사의 마음을 전한다.

독도에 살고 있는 대표 생물들을 수록한『독도의 생물다양성 I, II』의 출간이, 때가 되면 어김없이 찾아오는 일본의 독도 영유권 주장 각설이 타령을 영원히 사라지게 하는, 작은 불꽃 하나가 되기를 소망한다.

2021. 6.

황 의 욱

CONTENTS

PART 1

독도의
해조류

옥덩굴

Caulerpa okamurae Weber-van Bosse in Okamura, 1897

엽체는 녹색으로 하부의 포복지와 상부의 직립지로 이루어진다. 포복지는 원주상이고 불규칙한 간격으로 분지하며 복면에서 섬유상 가근을 내어 기질 위를 긴다. 직립지는 높이 20cm까지 자라고 원주상으로 포복지의 배면에서 일정한 간격으로 나며 대개 분지하지 않는다. 소지는 타원형 또는 도란형으로 짧은 자루를 갖고 직립지에서 각 방향으로 윤생한다. 저조선에서부터 수심 5m의 암반에 모여자라며 매트를 형성하기도 한다. 우리나라의 남해안, 동해안, 제주도 및 울릉도·독도에 분포한다.

서도외곽 15m

청각

Codium fragile (Suringar) Hariot, 1889

다육질의 원주상으로 녹색이며, 직립한다. 수 회 차상으로 분지하여 주축은 뚜렷하지 않고, 가지의 끝은 동일한 높이에 달해 부채꼴이 된다. 분지할 때마다 조금씩 가늘어지고 정단은 둔두이다. 엽체는 포낭이라는 다핵성 세포들로 구성되어 있으며, 포낭은 원주상 또는 곤봉상으로 끝은 뾰족하다. 높이 30cm 내외까지 성장한다. 우리나라의 전 연안에 분포한다.

가제바위 8m

쇠꼬리산말

Desmarestia viridis (Müller) Lamouroux, 1813

엽체는 높이 90cm 내외까지 성장하며 직립하고 반상근으로 암반에 붙는다. 주축은 뚜렷하고 원주상이며 각 방향으로 수회 우상분기하며 상부 쪽으로 갈수록 점차 가늘어진다. 말단가지는 피침상으로 가지에 빽빽하게 밀생한다. 수중에서는 옅은 갈색이나 공기중에 노출되면 산을 배출하며 청록색으로 변하고, 건조하면 담황색으로 된다. 우리나라 강릉 이북의 북동부 연안 및 울릉도 · 독도에서 주로 관찰되는 한류성 해조류이다.

큰가제바위 15m

주름뼈대그물말

Dictyopteris undulata Holmes, 1896

부착기는 원추상으로 갈색의 모용을 다수 갖고 있으며 단독 또는 2~3개의 엽체가 모여 자라는데, 높이 20cm까지 성장한다. 원주형의 짧은 줄기는 엽상부의 중륵으로 연장되어 엽체의 정단부에 이른다. 엽상부는 막질이고 횡으로 촘촘한 파상으로 구불구불한 형태를 보이는데 수 회 차상 또는 호상 분지한다. 색은 황갈색으로 덜 성숙했을 때는 청회색의 형광을 띤다. 우리나라에는 제주도, 남해안, 울릉도, 독도 등 동한난류의 영향을 받는 곳에 생육한다.

독립문 5-15m

참가죽그물바탕말

Dictyota coriacea (Holmes) Hwang, Kim & Lee, 2004

독립문 저조선-5m

부착기는 원반상으로 다수의 모용을 갖고 있으며 엽체는 여러개가 모여 자라고 높이 20cm 내외까지 성장한다. 엽상부는 막질로 동일평면상에서 수 회 차상으로 분지하여 부채꼴을 이루며 주축은 뚜렷하지 않다. 엽체의 횡단면에서 장방형의 커다랗고 투명한 1층의 수층세포와 이를 둘러싸는 2층의 작은 피층세포로 구성된다. 엽체의 정단부에는 볼록렌즈 모양 정단세포가 1개 관찰된다. 색은 어렸을 때 황갈색이나 성숙하면 암갈색이 된다. 우리나라에는 제주도, 울릉도, 독도를 포함한 거의 전 연안에 분포한다.

개그물바탕말

Rugulopteryx okamurae (Dawson) Hwang, Lee & Kim, 2009

부착기는 가근성으로 여러 개체가 모여 자라며 높이 15cm 내외까지 성장한다. 엽상부는 막질이며 동일평면상에서 수 회 차상분지하여 부채꼴을 이루고, 횡축으로 약하게 파상으로 구불거린다. 엽체의 횡단면에서 수층의 대부분은 크고 투명한 장방형세포 1층으로 구성되나 양쪽 가장자리는 여러 층의 투명한 세포로 구성된다. 피층세포는 1층이다. 정단세포는 볼록렌즈 모양이며 1개가 관찰된다. 색은 옅은 녹갈색이며, 우리나라의 남해안, 동해안, 제주도 및 울릉도 독도에 분포한다.

큰가제바위 저조선-5m

불레기말

Colpomenia sinuosa (Mertens ex Roth) Derbès & Solier in Castagne, 1851

식물체는 막질의 갈색 주머니 모양으로 속이 비어 있으며, 암반 위에 여러 개체가 모여 자라 거품처럼 뒤엉키기도 한다. 수층은 4~5층의 크고 투명한 다각형 세포가 거품처럼 불규칙하게 배열되고, 피층은 1~2층의 갈색 색소체를 갖는 작은 세포로 구성되어 있다. 우리나라의 제주도, 울릉도, 독도를 포함한 전 연안에 분포한다.

큰가제바위 저조선-5m

괭생이모자반

Sargassum horneri (Turner) Agardh, 1820

큰가제바위 3-10m

부착기는 섬유상 가반상근으로 1개의 중심가지를 형성한다. 중심가지는 세로로 여러 개의 골이 있는 원주상으로 하부에는 잔잔한 가시들을 다수 형성한다. 가지는 중심가지에서 호생으로 다수 형성되며 중심가지보다 짧다. 잎은 결각이 깊게 파인 장타원 또는 피침형이며 기낭은 잎모양 관엽이 달린 원주형이다. 수심에 따라 높이 10m 이상 자라기도 한다. 자웅이주이며 단년생 대형 갈조류이다. 우리나라의 전 연안의 조간대 하부에서부터 수심 15m에 분포한다.

쌍발이모자반

Sargassum patens Agardh, 1820

부착기는 반상이며 하나 또는 여러 개의 줄기를 동시에 낸다. 줄기는 원주상으로 짧고, 표면에 다수의 혹을 형성하며 말단에 수 개의 중심가지를 형성한다. 중심가지는 편압하고 양쪽 모서리에 호상으로 잎과 가지가 형성된다. 잎은 전연이며 하부에서 타원형이고 상부로 갈수록 피침형으로 좁아진다. 서식처에 따라 잎은 분열하지 않거나 1회 우상분지한다. 기낭은 잎모양의 관엽 또는 침상돌기를 갖는 타원형이다. 다년생 대형 갈조류로 우리나라 전 연안의 조하대 상부~수심 10m에 걸쳐 분포한다.

해녀바위 10m

알쏭이모자반

Sargassum confusum Agardh, 1824

부착기는 반상이며 하나의 원주상 줄기를 낸다. 중심가지는 각이 둥근 삼릉형이며, 줄기의 말단에 동일평면상에서 짧은 거리에 호생한다. 가지는 중심가지의 편평한 면에 호생하고 중심가지보다 짧다. 잎은 가죽질로 엽체의 하부에서는 장타원형이고 상부로 올라갈수록 선형으로 좁아진다. 잎의 연변은 전연이거나 얕은 거치가 있다. 기낭은 관엽 또는 돌기가 없는 구형이며 짧은 자루를 갖는다. 다년생 대형 갈조류로 우리나라 전 연안의 조간대 하부~조하대 상부에 걸쳐 생육한다.

독도선착장 5m

짝잎모자반

Sargassum hemiphyllum (Turner) Agardh, 1820

부착기는 섬유상 가근으로 이루어져 있고, 방사상으로 펼쳐진다. 줄기는 삼릉형으로 부착기에서 단독으로 나며, 말단에 수 개의 중심가지가 형성된다. 가지는 중심가지의 잎 겨드랑이에 기낭과 함께 형성된다. 잎은 엽체 하부에서 좌우 대칭인 타원형이며 상부로 갈수록 좌우가 비대칭한 반월형이 된다. 기낭은 방추형으로 짧은 자루와 침상돌기를 갖는다. 다년생 대형 갈조류로 우리나라 전 연안의 조간대 하부~조하대 상부의 암반에 모여 자라 매트를 형성한다.

독립문 0-5m

미역

Undaria pinnatifida (Harvey) Suringar, 1873

부착기는 수지상으로 엽체의 기부에 윤생하고, 방사상으로 뻗으며 암반에 부착한다. 줄기는 연골질로 편원이며 엽상부의 정단까지 연장되어 중륵이 된다. 엽상부는 1장으로 구성되어 있고 전체적으로 난원~피침형으로 양연에 우상열편이 다수 형성된다. 식물체 전체적으로 미끌거리고, 성숙한 개체에서는 줄기의 양측에 여러 겹의 포자엽(미역귀)이 발달한다. 단년생 대형 갈조류로 우리나라 전 연안의 조간대 하부~수심 10m에 걸쳐 생육하고 서식처에 따라 높이 1.5m까지 성장한다.

독립문 10m

감태

Ecklonia cava Kjellman in Kjellman & Pedersen, 1885

수지상 부착기, 원주상 경상부 및 잎 형태의 엽상부로 구성된다. 부착기는 엽체의 기부에서 윤생하여 방사상으로 뻗어나가며 기질에 강하게 달라붙고, 경상부는 원주상으로 어렸을 때는 실질이나 노성하면 속이 빈 중공상태가 된다. 엽상부는 가죽질로 경상부의 말단에 1개 형성되며, 어렸을 때는 단조로운 장타원형이나 점차 성장함에따라 엽연에서 양측에 호상으로 열편을 다수 내고, 열편은 다시 호상으로 소열편을 낸다. 잘 자랐을 경우 높이 1m 이상까지도 성장한다. 다년생 대형 갈조류로 우리나라 남해안과 제주도 및 울릉도, 독도에 서식한다.

독립문 5-15m

대황

Eisenia bicyclis (Kjellman) Setchell, 1905

부착기는 수지상으로 하나의 원주상 경상부를 갖고있으며, 경상부의 상부
는 짧은 거리에서 1~2회 차상분지하고 각 말단마다 1개의 엽상부를 갖는
다. 엽상부는 가죽질로 복우상으로 분기하여 감태의 엽상부와 유사한 형태
이다. 다년생 대형 갈조류로 높이 1.5m까지 자란다. 우리나라 경상북도 연
안, 울릉도 및 독도의 조하대에 서식한다.

동도 부채바위 20m

줄의관말

Carpomitra costata (Stackhouse) Batters, 1902

엽체는 갈색이며 직립하고 높이 약 30cm까지 성장한다. 가지는 납작한 선상인데 돌출하지 않는 중륵을 갖고있으며, 동일평면상에서 대생 또는 호생으로 분지한다. 가지의 정단부 각각에는 동화사 다발이 형성되고, 성숙하면 동화사는 탈락하고 고깔 모양의 포자낭이 된다. 제주도, 울릉도 및 독도의 수심 15m 내외의 깊은 곳에 서식한다.

큰가제바위 10-15m

애기서실

Laurencia venusta Yamada, 1931

암반위에 직립하고 단독 또는 여러 개체가 모여 자라며 높이 약 5cm까지 성장한다. 엽체는 연골질의 원주상이고, 반복하여 대생 또는 호생으로 분지하며 주축은 뚜렷하지 않다. 소지는 다수 형성되며 곤봉상으로 정단부는 함몰된다. 황녹색, 적갈색, 보라색 등 서식처에 따라 엽체의 색깔 변화가 심하다. 우리나라 남해안, 제주도, 울릉도, 독도의 조간대~조하대 상부에 서식한다.

큰가제바위 조간대-2m

참화살깃산호말

Alatocladia modesta Johansen, 1969

마디가 있는 유절산호말류로 엽체 전체적으로 석회질이 침적되어있다. 여러 개체가 암반에 모여 자라며, 높이 약 5cm 내외까지 성장한다. 각각의 절간부는 납작하고 가운데가 약간 융기한 화살깃 모양이다. 분지는 수 회 호생 또는 대생으로 절간부의 윗부분에서 이루어진다. 엽체의 색깔은 적홍색이고 정단부는 백색에 가깝다. 우리나라 남해안과 제주도의 조간대 하부~조하대 상부에 서식한다.

큰가제바위 5m

고리마디게발

Amphiroa beauvoisii Lamouroux, 1816

마디가 있는 유절산호말류로 엽체 전체적으로 석회질이 침적되어있다. 여러 개체가 암반에 모여 자라며, 높이 약 5cm 내외까지 성장한다. 각각의 절간부는 편압된 선형으로 각각의 마디에서 좁은 각도로 차상 분지한다. 엽체의 색깔은 옅은 분홍색이다. 우리나라 남해안 및 제주도에 분포하며, 조하대 상부의 파도가 강한 지역에 서식한다.

독립문 0-3m

우뭇가사리

Gelidium elegans Kützing, 1868

식물체는 기는줄기와 직립지로 구분된다. 엽체의 대부분은 직립지로서 여러 개체가 다발을 이루며, 기는줄기는 섬유상 가근을 형성하여 기질에 부착한다. 직립지는 선형의 연골질로 편압되어 있고 동일 평면상에서 반복적으로 우상분기하여 밀생하는 가지가 덤불 모양을 이룬다. 색은 홍색~진홍색이며, 폭 2mm, 높이 30cm까지 자란다.

독립문 저조선-5m

진두발

Chondrus ocellatus Holmes, 1896

작은 반상의 부착기에 여러 개체가 모여 자란다. 엽체는 약간 두꺼운 가죽질로 질기고 납작한 엽상형이며, 2~3회 차상 또는 삼차상으로 분지하여 전체적으로 부채꼴을 이루고 정단은 둔원이다. 엽체는 한쪽으로 다소 말리는 경향이 있다. 낭과는 타원형으로 엽면에 약간 돌출하여 황갈색 버짐처럼 보인다. 폭 5cm, 높이 10cm까지 성장하며, 서식 장소에 따라 녹황색~적갈색으로 다양한 색깔을 띠며 건조하면 대개 적자색으로 변한다. 우리나라 전 연안의 조간대 중부~조하대 상부에 분포한다.

독립문 0m-저조선

참사슬풀

Champia inkyui Koh, Cho & Kim, 2013

암반 위에 여러 개체가 모여 매트를 이루기도 한다. 엽체는 다육질의 원주상으로 정단으로 갈수록 점점 가늘어진다. 가지는 각 방면으로 호생 또는 윤생한다. 엽체 전체에서 규칙적인 간격으로 마디를 형성하며 마디 부분은 약간 잘록해 진다. 우리나라 남해안, 동해안, 제주도 연안에 분포하며 조간대 하부~조하대 상부에 서식한다.

큰가제바위 0m-저조선

엷은잎바위주걱

Leptofauchea leptophylla (Segawa) Suzuki, Nozaki, Terada, Kitayama, Hashimoto & Yoshizaki, 2012

엽체는 사상의 포복지와 편평한 선형의 직립지로 구성된다. 직립지는 연골질이고 1~3회 차상분지하여 부채꼴로 펼쳐지며 정단은 둔원이다. 여러 개체가 모여 암반에 매트를 형성하기도 하며 높이 5cm 내외까지 성장한다. 색깔은 자홍색으로 살아있을 때에는 자주빛 형광을 띤다. 우리나라 전 연안에 분포하며 조하대의 그늘진 직벽에서 주로 관찰된다.

독립문 20m

두갈래분홍치

Rhodymenia intricata Okamura, 1930

엽체는 연골질이고 편평하며 1~2회 차상분지하며 정단은 둥글다. 색깔
은 자홍색이며 높이 5~15cm까지 성장한다. 조간대 하부에서 조하대에
걸쳐 암반에 부착하여 자라고 우리나라 전 연안에 분포한다.

독립문 1-3m

PART 2

독도의
어류

다섯동갈망둑

Pterogobius zacalles (Jordan & Snyder, 1901)

몸길이는 약 14cm이며 눈은 크고 등쪽에 위치한다. 몸은 연한 갈색이며 5개의 흑갈색 넓은 무늬가 있다. 제2등지느러미와 뒷지느러미. 꼬리지느러미의 가장자리는 어두운 색을 띤다. 연안의 바위가 있는 지역에 서식한다.

가제바위 25m

범돔

Microcanthus strigatus (Cuvier, 1831)

몸길이는 15cm 내외이다. 몸은 계란형이며 두부와 몸통이 좌우로 심하게 납작하다. 몸의 색은 진황색이며 5개의 굵은 검은 줄무늬가 가로로 나 있다. 주로 20m 이내의 수심에서 여러마리가 무리지어 다니며 우리나라 제주, 남해, 동해에 분포한다.

동·서도 사이 8m

별복

Arothron firmamentum (Temminck & Schlegel, 1850)

몸길이 40cm 정도의 복어류이다. 몸은 원통형으로 검푸른 색을 띠며 원형의 흰색 반점이 머리에서 꼬리까지 일정하게 흩어져 있는 것이 특징이다. 제주도와 부산 연안에서 주로 발견되며 독도를 포함한 동해안에서는 드물게 출현하는 난류성 어종이다. 독성(saxitoxin)이 강해서 일반적으로 식용하지 않는다.

서도 앞 보찰바위 25m

용치놀래기

Halichoeres poecilepterus (Temminck & Schlegel, 1845)

몸길이는 25cm 정도이고 옆으로 길며 편평하다. 수컷 등은 청록색, 배는 황록색이며 가슴지느러미 뒤에 흑색 반점이 있고 암컷은 붉은색이 진하며 흑색 반점이 두드러지지 않는다. 독도에도 많으며 우리나라 서해 남부, 남해, 제주도, 동해 남부 등에 서식한다.

물골 15m

돌돔

Oplegnathus fasciatus (Temminck & Schlegel, 1844)

몸길이가 40cm 정도이다. 몸은 옆으로 납작한 긴 타원형이고 밝은 회흑색 바탕에 6~7개의 검은 가로 줄무늬가 있다. 완전히 성장하면 줄무늬는 점차 없어지고 주둥이 끝과 꼬리자루에만 남는다. 연안의 바위 지역에 서식하고 조개류와 성게 등 외피가 딱딱한 무척추동물을 주로 먹는다.

서도 앞 똥여 20m

자리돔

Chromis notata (Temminck & Schlegel, 1843)

몸길이는 10~15cm 정도이다. 몸은 달걀모양으로 등쪽은 회갈색을 띠며 배쪽은 푸른빛이 나는 은색이다. 가슴지느러미 기부에는 동공크기의 흑청색 반점이 있다. 우리나라에서 가장 흔한 어류 중에 하나로써 독도에서도 흔하다. 작은 갑각류나 플랑크톤을 먹으며 제주, 남해, 동해에 분포한다.

해녀바위 8m

능성어

Epinephelus septemfasciatus (Thunberg, 1793)

몸길이가 90cm 정도까지 크는 대형 어류이다. 몸은 회갈색 바탕에 7개의 진한 갈색 무늬가 있다. 배지느러미와 뒷지느러미는 검은색이다. 고가의 횟감 어류로써 연안과 심해의 바위지역에 서식하며 새우, 게 등의 갑각류와 어류 등을 잡아먹는다. 독도에서는 매우 드물게 나타난다.

동도 구선착장 20m

붉바리

Epinephelus akaara (Temminck & Schlegel, 1843)

몸길이 40cm 정도의 대형 어류이다. 등지느러미 중앙에는 검은 반점이 있고 몸에는 등적색 반점이 흩어져 있다. 연안 정착성 어류로 바위 구멍이나 바위틈에 숨어 있다가 주로 밤에 활동한다. 새우류, 게류, 어류 등을 먹고 사는데 독도에서는 매우 드물게 나타난다.

서도 외곽 수중봉우리 25m

청황베도라치

Springerichthys bapturus (Jordan & Snyder, 1902)

몸길이 7cm 정도의 작은 어류이다. 몸은 푸른빛 도는 갈색이며 머리와
몸에는 붉은색 얼룩 무늬가 나타나고 등지느러미 아래와 머리부분에 푸
른색이 강하게 나타난다. 난류성 어류로써 우리나라에서는 흔치 않으며
제주, 남해, 독도에서 간혹 발견된다.

똥여 서쪽 25m

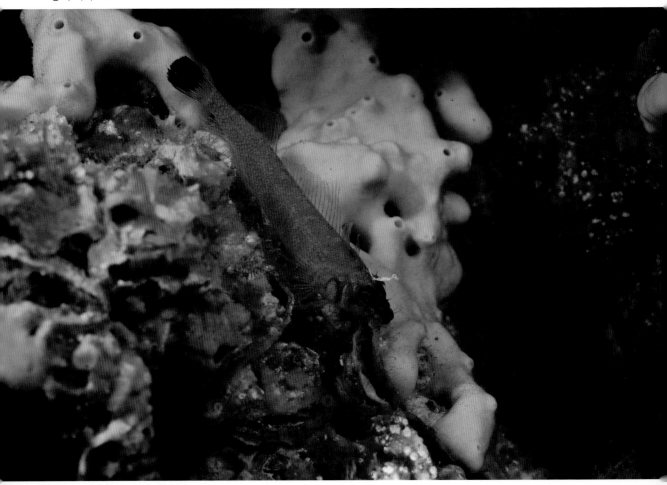

넙치

Paralichthys olivaceus (Temminck & Schlegel, 1846)

몸길이는 60cm가량이며, 모양은 위아래로 넓적한 긴 타원형이다. 눈은 몸의 왼쪽에 있다. 눈이 있는 쪽은 진한 황갈색 바탕에 흑색 및 백색 반점이 흩어져 있으나 눈이 없는 쪽은 백색이다. 흔히 '광어'라고 불리며 우리나라 전 연안에 출현한다.

혹돔굴 20m

노래미

Hexagrammos agrammus (Temminck & Schlegel, 1843)

몸길이는 30cm 정도이다. 몸은 가늘고 긴 원통형이고 머리는 위아래로 납작하다. 등쪽은 흑갈색을 띠며 배는 연한 갈색을 띠는데 흰색 점들이 흩어져 있다. 바위와 해조류가 많은 연안에 살며 작은 갑각류를 먹는다. 독도를 포함하여 우리나라 전 연안에 분포한다.

똥여 서쪽 15m

미역치

Hypodytes rubripinnis (Temminck & Schlegel, 1843)

몸길이 7~8cm 정도의 소형 어류이다. 비늘이 없고 누골에는 3개의 가시가 있다. 등지느러미는 눈 위쪽에서 시작되며 앞쪽에서 매우 길고 강하게 발달해 있으며 모든 가시에 독이 있다. 체색은 붉은 색을 띠고 불규칙한 검은 반점이 있으며 등지느러미 극조부에는 큰 검은 반점이 있다. 우리나라 남해와 동해 연안에 서식한다.

동도 구선착장 20m

47

볼락

Sebastes inermis (Cuvier, 1829)

몸길이는 20cm 정도이며 외형은 방추형이다. 눈은 매우 커서 주둥이 길이보다 같거나 크다. 몸 색깔은 황갈색, 회흑색 등이며 등 쪽에 어두운 무늬가 흩어져 있다. 독도에서는 암석의 그늘진 곳에 여러마리가 모여있는 모습이 관찰된다. 우리나라 남해, 동해 남부, 제주도 등에 서식한다.

가제바위 25m

볼볼락

Sebastes thompsoni (Jordan & Hubbs, 1925)

몸길이는 20cm 정도이며 체형은 긴 달걀 모양으로 몸과 머리는 옆으로 납작하다. 아가미뚜껑 상단에는 2개의 가시가 있다. 몸은 담황색이고 등에는 5개의 연한 흑갈색 가로무늬가 있다. 독도에서는 여러마리가 무리짓는 모습이 관찰되며 우리나라 서해 남부, 남해, 동해 등에 서식한다.

동도 구선착장 20m

띠볼락

Sebastes zonatus (Chen & Barsukov, 1976)

몸길이 40cm 정도의 볼락류이다. 체형은 방추형이고 체고가 높은 편이다. 암회색 또는 붉은 빛을 띤 회색 바탕에 흑갈색 반점이 촘촘하게 나타난다, 몸의 옆면에 3개의 굵은 가로띠를 갖는 것이 특징이다. 우리나라 남해와 동해에 분포하며 독도에서는 수심 20~30m의 암반들 사이 그늘진 곳에서 발견된다.

가제바위 30m

쥐치

Stephanolepis cirrhifer (Temminck & Schlegel, 1850)

몸길이가 25cm 정도이며 모양은 폭이 넓은 난원형이다. 주둥이는 뾰족하고 입은 작다. 몸색깔은 흑갈색이나 회갈색 바탕에 흑색반점이 불규칙하게 흩어져 있다. 독도에서는 간혹 한두개체가 해조숲 근처에서 발견된다. 우리나라 제주도를 포함한 남해와 동해에 분포한다.

동도 구선착장 15m

말쥐치

Thamnaconus modestus (Günther, 1877)

몸 길이는 35cm정도이며 체형는 옆으로 납작한 긴 타원형으로 주둥이가 길고 입이 작다. 제1등지느러미는 한 개의 가시로 되어 있다. 회갈색 바탕에 흑갈색 얼룩무늬가 있고 지느러미는 회청색이다. 독도에서는 서너마리가 모여 다니는 모습이 관찰된다. 우리나라 전 연안에 출현하며 해파리 퇴치가능 어류로 주목받고 있다.

가제바위 20m

달고기

Zeus faber (Linnaeus, 1758)

몸길이는 50cm 정도이며 등지느러미가 매우 길게 발달해 있다. 몸은 좌우로 납작하며 체색은 은회색 또는 올리브색을 띠는 갈색 바탕에 불규칙한 모양의 짙은 갈색 띠가 가로로 나타난다. 몸의 중앙에는 둥근 검은색 무늬가 선명하게 나있고 밝은 황색테가 둘러져 있다. 독도에서는 간혹 독립적으로 관찰된다.

거북바위 15m

노랑촉수

Upeneus japonicus (Houttuyn, 1782)

몸길이는 20cm 정도이며 체형은 원통형이다. 머리의 턱 밑에 한 쌍의 노란색 촉수를 가진다. 등지느러미와 꼬리지느러미에는 2~3줄의 붉은색 띠가 있고 전체적인 몸 빛깔은 선홍색을 띤다. 독도에서는 수심 25~30m 모랫바닥에 있는 모습이 관찰된다.

동도 부채바위 28m

PART 3

독도의
무척추동물

호박해면

Cliona celata Grant, 1826

외형은 덩어리 모양으로 피층과 내층으로 구분된다. 몸에는 비교적 일정한 크기의 둥글넙적한 돌기들이 산재하며 2~5mm 크기의 대공이 동그랗게 열려있다. 해면의 폭은 보통 20~50cm 정도이며 살아있을 때 주로 탁한 노란색을 띤다. 우리나라 전 연안에서 출현하며 특히 남해와 동해 연안 수심 5~20m 정도의 바위에 붙어 서식한다.

가제바위 20m

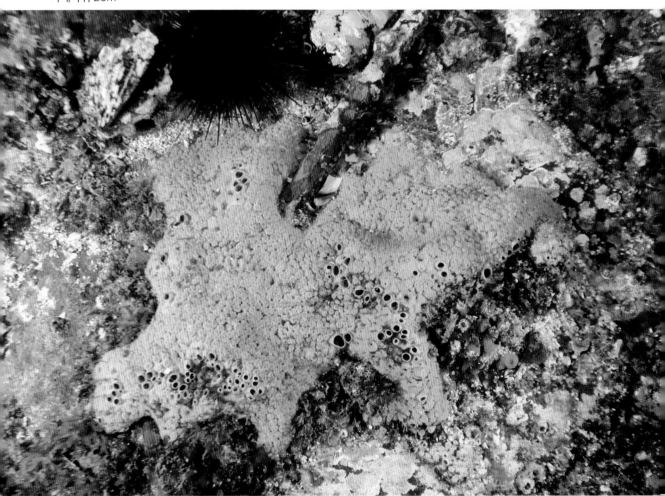

불똥해면

Petrosia (*Strongylophora*) *corticata* (Wilson, 1925)

외형은 넓적한 덩어리 모양이며 표면은 비교적 매끈하고 1~2mm정도의 대
공이 산재되어있다. 피층은 붉은 보라색이고 내층은 배이지색을 띤다. 크
기는 일정하지 않으며 독도에서는 간혹 폭이 1m를 넘는 경우도 있다. 수심
5~30m 바위에 붙어 서식하며 우리나라 제주도, 추자도, 독도에 분포한다.

가제바위 25m

넓적끈적해면

Myxilla (Myxilla) setoensis Tanita, 1961

외형은 잎사귀 모양으로 넓적하고 두툼하며 하나 또는 여러개로 뻗어 있다. 표면에는 작은 대공들이 일정한 배열로 흩어져 있고 해면질은 부드러우며 폭신하다. 해면의 크기는 일정하지 않은데 한 덩이가 약 10~20cm 정도의 크기이다. 체색은 전체적으로 진한 주황색과 베이지색이 섞여있다. 수심 15~30m의 바위에 붙어 서식한다. 동해안에서 흔히 발견된다.

가제바위 외곽 25m

빨강바다딸기

Eleutherobia unicolor
(Kukenthal, 1906)

군체는 부푼 손가락 모양
이며 하나 또는 서너개가
가지를낸다. 체색은 붉은
핑크색을 띠며 폴립은 보
통 흰색이다. 크기는 펼
쳐졌을 때 가지 하나의
길이가 3~5cm 정도, 폭
은 1.5~2cm 정도이다.
수심 20~30m 암반의
급경사나 역경사면에 주
로 부착한다.

가제바위 25m

부채뿔산호

Melithaea japonica (Verrill, 1865)

군체는 부채모양으로 거의 일 평면을 이루며 여러살래로 빈번히 가지를 치는데 가지의 끝은 납작하다. 몸은 주로 선명한 붉은색을 띠지만 흔히 연한 붉은색을 띠기도 한다. 군체의 크기는 높이 약 15~20cm 정도이다. 우리나라 전역에 분포하며 독도에서는 수심 15~20m의 경사진 암반에서 크게 군락을 이룬다.

서도 똥여 18m

곧은진총산호

Euplexaura recta (Nutting, 1910)

군체는 뚜렷하게 일평면을 이룬다. 기둥은 짧고 굵으며 여러 개의 가지를 친다. 가지는 굵고 둥글며 다소 구불거리지만 곧고 길게 위로 뻗어있다. 산호의 기둥과 가지는 갈색을 띠며 폴립은 푸른빛 도는 보라색이다. 우리나라 전역에 분포하며 독도에서는 수심 20~30m에서 드물게 발견된다.

가제바위 23m

유착나무돌산호

Dendrophyllia cribrosa Milne-Edwards & Haime, 1851

군체는 나무 모양으로 굵은 가지가 불규칙하게 분지하며 이웃 가지와 유착한다. 체색은 선명한 주황색이며 촉수는 노란색이다. 산호협은 둥글고 약하게 돌출해 있다. 제주도(추자도), 남해 외해도서들, 울릉도 및 독도, 왕돌초 등에 분포한다. 독도에서는 수심 20m 암반에 매우 큰 군락을 이루고 있다.

서도 외곽 20m

해변말미잘

Actinia equina (Linnaeus, 1758)

몸은 전형적인 해변말미잘로써 족반은 넓고 체벽은 낮은 편이며 표면은 매끈하다. 몸통의 직경은 3~4cm이고 체색은 전체가 선명한 와인−붉은색을 띤다. 우리나라 제주도, 남해안, 동해안에 분포하며 독도에서는 동도 구선착장의 조간대 웅덩이에서 발견되었다.

구선착장 조간대

별란말미잘

Halcurias carlgreni McMurrich, 1901

몸은 원통형이며 곧고 위로갈수록 다소 좁아진다. 살아있을 때 몸은 주황색에서 노란색이 섞여서 나타나는데 가로로 촘촘하게 주황색 띠를 이루며 그 사이로 벽돌같이 노란색 점들이 연속해있다. 촉수는 반투명한 흰색이며 세로로 연한 줄무늬가 나타난다. 독도에서는 수심 25~30m 바닥의 돌멩이에 주로 붙어있다.

가제바위 28m

실꽃말미잘

Cerianthus filiformis Carlgren, 1924

몸은 원통형으로 길쭉하며 족반이 없다. 촉수는 가늘고 길며 모두 100여개 정도가 입 주변으로 여러층의 환을 이룬다. 촉수는 대체로 투명한 진보라색을 띤다. 두터운 가죽질 서관을 진흙 섞인 모래 바닥에 파묻고 그 속에 들어가서 산다. 우리나라 전 해역에 분포하며 독도에서는 수심 20~30m 범위의 모래바닥에서 주로 발견된다.

동도 부채바위 앞 27m

보석말미잘

Corynactis viridis Allman, 1846

몸은 왕관모양이다. 체벽은 보통 붉은빛을 띠는 갈색이지만 오렌지색이 거나 녹색 빛을 띠기도 한다. 촉수는 반투명하며 구반은 테두리 져 있고 폴립 끝은 뭉툭하고 흰색을 띤다. 수심 10m 내외에서 가장 흔히 발견되 며 많은 개체가 무리지어 서식한다. 한국에는 남해 외해도서, 구룡포, 울릉도 및 독도 등에 분포한다.

독립문바위 15m

큰산호붙이히드라

Solanderia misakinensis (Inaba, 1892)

군체는 작은 나무모양이며 크고 부채처럼 한 평면으로 펼쳐진다. 히드라류 가운데 가장 큰 종으로 굵고 넓적한 주줄기에서 많은 가지가 분지되며 길이는 20cm를 넘기도 하는데, 독도의 개체가 가장 크다. 줄기는 갈색을 띠며 폴립은 흰색이다. 수심 5~30m의 경사진 바위에 부착하여 서식한다.

가제바위 18m

흰깃히드라

Aglaophenia whiteleggei Bale, 1888

군체는 새의 깃 모양이며 줄기는 갈색이고 깃가지는 흰색을 띤다. 가지
는 규칙적인 사이마디로 나뉘고 각 사이마디에는 깃가지돌기 1개와 자
협 2개, 격막 2개가 있다. 우리나라 전 연안에 분포하는데 독도에서는
주로 암반과 대형 갈조류에 작게 무리지어 부착한다.

물골 15m

테히드라

Sertularella levigata Stechow, 1931

군체는 히드라뿌리에서 직접 올라온다. 히드라줄기는 보통 가지를 내지 않
으나 낼때도 있다. 줄기는 규칙적인 사이마디로 나뉘고 지그재그 형태로 뻗
는데 각 사이마디의 위쪽에 1개의 히드라협이 붙어있다. 우리나라 전 해역
에 분포하며 독도에서는 해조류, 홍합과 태생굴, 따개비류의 표면, 암반면
등 다양한 기질에 무리지어 부착한다.

서도 외곽 25m

포로시씨마이끼벌레

Celleporina porosissima Harmer, 1957

군체는 단단하고 굵은 뿔모양의 기둥이 겹쳐져 작은 덩어리를 이룬다. 골격은 돌과 같이 단단하고 흔히 여러 개가 뭉쳐져 있다. 체색은 주황색 또는 베이지색이며 내층은 회백색이다. 독도에서는 주로 수심 20~30m의 그늘진 경사면에서 발견되며 작은 갑각류나 갯지렁이의 은신처 역할을 한다.

동도 독립문바위 25m

상어껍질별벌레

Phascolosoma scolops (Selenka & de Man, 1883)

몸은 벌레 모양으로 함입부는 가늘고 길며 몸통은 긴 타원형이다. 체색은 황갈색인 개체가 흔하며 몸에 진한색 얼룩무늬가 나타나기도 한다. 몸길이는 늘어났을 때 2~3cm 정도이다. 독도에서는 주로 따개비, 태생굴, 홍합 등의 부착기 틈에 박혀서 서식하며, 우리나라 전 해역에 분포한다.

가제바위 10m

거북손

Pollicipes mitella (Linnaeus, 1758)

외형은 거북의 손을 닮았다. 두상부는 대략 삼각형으로 여러개의 판이 배열되어 있으며 각 각판은 위아래로 긴 삼각형으로 표면에는 성장선이 뚜렷하다. 병부의 표면에는 수많은 각질 비늘이 덮여 있다. 몸의 표면은 노란색이고 길이는 대략 3~4cm 정도이다. 우리나라 전 해역의 해수면 근처 암반에 무리지어 부착한다.

동도 선착장 수면

삼각따개비

Balanus trigonus Darwin, 1854

패각은 변형이 심하여 밀집 정도에 따라 모양이 다르다. 각구는 밑이 둥근 이등변삼각형이며 각판의 표면에는 굵은 종주륵이 나 있다. 패각은 연한 분홍색이지만 서식환경에 따라 다르다. 주로 조하대 얕은 수심의 암반이나 홍합, 굴 등의 껍질에 부착하는데 독도에서는 깊은 수심에서도 흔히 확인된다.

서도앞 똥여 15m

빨강따개비

Megabalanus rosa (Pilsbry, 1916)

패각은 봉우리 모양이며 각판의 표면은 매끄럽고 횡으로 미세한 줄이 나 있다. 순판 외면의 성장맥은 뚜렷하다. 패각 직경은 3~4cm 정도이며 대체로 분홍빛의 적색을 띤다. 독도에서는 저조선에서부터 얕은 수심의 암반에 무리지어 부착한다.

서도앞 뚱여 12m

팔각따개비

Octomeris sulcata Nilsson-Cantell, 1932

패각은 변형이 심한데 위아래로 납작하며 각판은 8개로 구성되어 있다. 순판은 삼각형이며 외면에는 4개 정도의 세로줄이 있다. 조간대의 저조선부터 얕은 수심의 조하대에 서식하며 홍합, 굴 등의 패각이나 부착기틈의 암석면에 붙어있어서 쉽게 눈에 띄지 않는다.

가제바위 3m

조무래기따개비

Chthamalus challengeri Hoek, 1883

패각은 변형이 심한데 보통 납작하지만 밀집해 있을 때에는 길쭉하게 자란다. 주로 조간대 상부의 암반에 부착하는데 독도에서는 밀집하지 않고 여러 개가 납작하게 붙어있는 경우가 많다. 우리나라 전 연안, 일본, 인도양과 서태평양 전반에 걸쳐 분포한다.

구선착장 조간대

조개삿갓

Lepas anserifera Linnaeus, 1767

패각은 횟불 모양으로 봉우리진다. 패각의 높이가 3cm를 넘지 않으며, 순판에서 배판까지 대각선으로 배열되는 반점들이 나타나지 않는다. 자루는 자갈색이고 주름져있으며 신축성이 있다. 나무, 부이 등 떠다니는 물체에 집단으로 부착한다. 우리나라 전 해역과 전 세계 온대, 열대 바다에 분포한다.

서도 앞 수면

가재아재비

Allaxius princeps (Boas, 1880)

외형은 가재를 닮았다. 갑각은 옆으로 납작한 편이고 등면에 불규칙한 돌기열들이 세로로 발달해있다. 제 1가슴다리는 집게를 이루는데 일반적으로 왼쪽 것이 오른쪽 것보다 크다. 몸은 붉고 큰 개체는 10cm를 넘는다. 주로 수심 20~40m의 진흙 섞인 모래바닥의 돌밑에 구멍을 파고 산다.

가제바위 20m

솜털묻히

Metadromia wilsoni (Fulton & Grant, 1902)

갑각은 타원형으로 폭이 길이보다 뚜렷이 길다. 갑각의 등면은 볼록하고 연한 털로 촘촘히 덮여있다. 크기는 폭이 약 3~4cm 정도고 체색은 갈색에서 붉은색까지 다양하다. 해면치레에 속하는 종들 중에서 가장 흔히 발견되는 종이다. 독도에서는 수심 20~30m의 돌밑에서 직접 확인되었고, 수심 100m 바닥에 친 그물에도 걸려나온다.

가제바위 30m

81

비단게

Cyclograpsus intermedius Ortmann, 1894

갑각의 윤곽은 양옆 가장자리가 볼록한 사각형인데 너비는 길이보다 약간 더 넓다. 몸 전체가 매끈하고 이마는 비스듬히 아래로 기울었다. 갑각의 이마쪽은 적자색이 강하고 뒤쪽은 쑥색이 강하며 서로 얼룩져 있다. 독도에서는 동도 선착장 안쪽에 발달한 조간대 돌무더기 밑에 숨어서 산다.

동도 선착장 조간대

털부채게

Gaillardiellus orientalis (Odhner, 1925)

갑각은 부채꼴의 타원형에 가깝고 폭이 길이보다 뚜렷이 넓다. 등면은 볼록하고 큰 과립들과 긴 강모 다발들로 덮여 있다. 집게다리는 크고 크기가 같으며 바깥 면은 짧은 강모와 과립들로 덮여 있다. 독도에서는 수심 10~30m 사이의 돌밑, 태생굴이나 홍합의 틈, 해면의 기부 등을 파고들어가서 산다. 우리나라 전 해역에 분포한다.

가제바위 25m

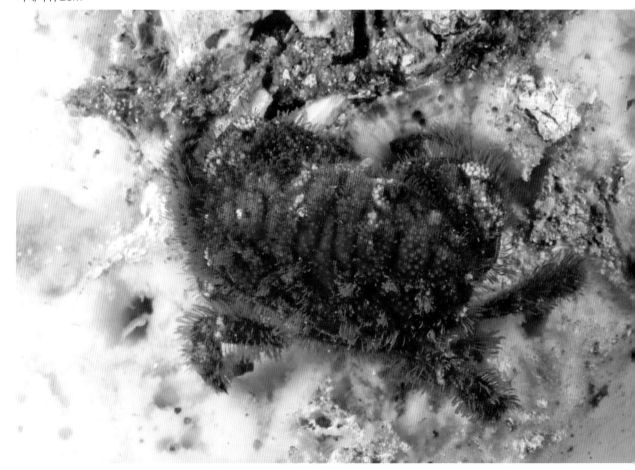

바위게

Pachygrapsus crassipes Randall, 1840

갑각은 뒷부분이 약간 좁은 사각형이고 너비는 길이의 1.2배 정도이다. 집게손은 크고 매끈하며 끊는면 안쪽은 흰색을 띤다. 체색은 자색을 띠는데 전반적으로는 녹색빛이 돌며 가로로 무늬가 있다. 독도에서는 암석의 틈에 무리지어 서식하는데 조간대에서 가장 우점하는 게류이다. 우리나라 전 해역에 분포한다.

가제바위 조간대

빗참집게

Pagurus pectinatus (Stimpson, 1858)

갑각 앞부분 길이는 폭보다 길다. 이마 가운데 돌기는 짧고 끝이 뾰족한
데 긴 털다발이 가려져 있다. 양 집게다리는 가시와 털투성이이다. 손바
닥 윗표면에는 가장자리 줄을 포함하여 세로 8줄의 불규칙한 긴 가시들
이 배열되어 있다. 독도에서는 독도외곽 수심 100m에 친 그물에 걸려
나왔다. 우리나라에서는 제주도를 제외한 전 해역에 분포한다.

독도외곽 그물 50 -100m

얼룩참집게

Pagurus rubrior Komai, 2003

갑각 앞부분의 양 옆에는 1개의 큰 적색 무늬가 있다. 제3턱다리 자리마디 윗가장자리에는 3개의 이가 있다. 몸은 붉은색인데 눈사루 중앙부에 적색의 띠무늬가 있고, 걷는다리의 긴마디, 발목마디, 앞마디, 발가락마디에는 진한 적자색의 얼룩무늬가 있다. 큰 개체는 10cm를 넘는다. 독도에서는 주로 바위 위나 돌 밑에서 발견된다.

가제바위 25m

붉은눈자루참집게

Pagurus japonicus (Stimpson, 1858)

갑각 앞부분 이마 가운데돌기는 예리한 편이다. 눈자루는 흰색이며 아래쪽에 넓은 암갈색 또는 붉은색 띠가 있다. 더듬이는 붉은색과 흰색 무늬가 번갈아 나타난다. 걷는다리의 각 마디에는 진한 붉은색 띠가 나타난다. 크기는 3~5cm 정도이며, 독도에서는 선착장 주변의 얕은 모래바닥 돌밑에서 주로 발견된다. 제주도, 남해 외해도서, 독도 등에 분포한다.

동도 선착장 2m

게붙이

Pachycheles stevensii Stimpson, 1858

갑각은 납작하고 둥글며 매끈하다. 집게다리는 특히 크고 강하게 생겼으며 굵은 과립이 널려있다. 갑각의 등면은 갈색에서 붉은색까지 다양하게 나타나며 집게손은 분홍빛을 띤다. 독도에서는 얕은 수심의 홍합, 따개비, 태생굴 같은 부착성 무척추동물 틈에 숨어서 산다. 우리나라 전해역에 분포한다.

가제바위 25m

끄덕새우

Rhynchocinetes uritai Kubo, 1942

갑각의 홈선은 대체로 가로로 나 있고 배마디에는 세로로 난 것이 많다. 살아 있을 때 몸은 투명하고 붉은색 줄무늬들을 지니며, 선명한 흰색 점들이 갑각과 마디에 비교적 일정하게 나타난다. 독도에서는 수심 10~40m 혹은 그 이상의 암석 틈에서 무리지어 서식한다. 우리나라 전 해역에 분포하는 흔한 종이다.

동도 부채바위 20m

좁은뿔꼬마새우

Heptacarpus rectirostris (Stimpson, 1860)

갑각에는 그물코 모양의 불규칙한 흰색 문양과 배마디 마다 불분명한 흰빛 도는 가로 띠무늬가 있다. 이마뿔은 얇고 거의 곧으며, 삭은더듬이 자루의 끝을 약간 지난다. 제1가슴다리의 긴마디는 비교적 가늘고 길이는 너비의 3.5~4배 정도이다. 우리나라 전 해역과 일본, 중국에도 분포한다.

동도 부채바위 15m

아무르불가사리

Asterias amurensis Lütken, 1871

몸은 변형된 별모양으로 팔은 두텁고 길며 보통 5개이지만 변이가 있다. 팔 끝에서 몸통의 기부 쪽으로 갈수록 폭이 넓어지고 두꺼워진다. 체색은 몸의 등쪽이 연한 베이지색 바탕에 보라색 무늬가 있는 것이 보통이지만 무늬가 없는 경우도 있다. 우리나라 전 연안에서 발견되며 독도에서는 드물게 발견된다.

동도 독립문바위 15m

팔손이불가사리

Coscinasterias acutispina (Stimpson, 1857)

몸의 등면은 보랏빛이나 갈색 바탕에 주위의 바위 색과 비슷한 색으로 얼룩진다. 표면에는 부드럽고 점착성 있는 털 뭉치들이 고르게 퍼져 있다. 팔은 쉽게 떨어지며 재생력이 강해서 다리의 길이가 서로 다른 경우가 많다. 독도에서는 수심 2~30m의 암석 밑에 붙어서 서식한다. 우리나라 남해와 동해연안에 분포한다.

동도 선착장 2m

문어다리불가사리

Plazaster borealis (Uchida, 1928)

몸통은 팔에 비해 작고 원형이며 부풀어 있다. 팔은 매우 길며 보통 31개 정도이다. 몸통의 등쪽은 붉은색이며 팔에는 전체적으로 원을 그리며 흰색 띠무늬가 불규칙하게 나타난다. 독도에서 확인된 개체의 몸 전체 폭은 50cm 정도이며, 수심 20~30m 범위의 암반에서 주로 발견된다. 우리나라 경북 이북의 동해안에 분포하는 냉수성 종이다.

서도 앞 보찰바위 25m

가시불가사리

Astropecten polyacanthus Müller & Troschel, 1842

몸은 변형된 별모양이며 팔은 두터운데 상연판에 뾰족한 원추 모양의 큰 가시들이 팔을 따라 연속해서 돋아 있다. 체색은 붉은색인데 진한 갈색 바탕에 붉은색 작은 점무늬가 촘촘히 나타난다. 독도에서는 수심 25m의 모래바닥에서 주로 발견된다. 우리나라 제주, 동해, 남해에 분포한다.

동도 해녀바위 25m

육질애기불가사리

Henricia pachyderma Hayashi, 1940

몸통은 작고 팔은 5개이며 기부에서 넓고 잘록하나 점차 가늘어진다. 배의 골격은 느슨한 그물모양이고 두터운 육질로 덮여있다. 체색은 주황색, 진 갈색 등 다양하며 팔을 포함한 길이는 15~20cm 정도이다. 독도에서는 수 심 15~30m의 암반 위에서 주로 발견되며 우리나라 제주, 남해, 동해에 분 포한다.

독립문바위 20m

네모애기불가사리

Henricia regularis Hayashi, 1940

몸통은 작고 팔은 5개이며 끝으로 갈수록 가늘어진다. 등쪽 골격은 크기
가 일정한 네모 모양 비슷한 골판이 두껍게 겹쳐서 규칙적으로 배열해 있
다. 배판은 작은 가시로 덮여 있다. 체색은 붉은색이며 얼룩무늬가 나타
난다. 독도에서는 수심 20m 내외의 암반에서 매우 드물게 나타난다. 우
리나라 동·남해와 제주도에 분포한다.

가제바위 20m

미끈애기불가사리

Henricia leviuscula (Stimpson, 1857)

몸은 전체적으로 가늘고 매끈해 보인다. 몸통은 작고 완은 5개가 있으며 가늘고 길다. 배판은 두텁고 볼록하며 둥글거나 타원 모양이다. 체색은 노란색 또는 붉은색이며 진한 밤색띠가 나타나는 경우도 있다. 독도에서는 수심 25m의 암반 위에서 발견되었으며, 우리나라 제주, 남해, 동해에서 드물게 분포한다.

가제바위 25m

애기불가사리

Henricia nipponica (Uchida, 1928)

몸통은 작고 비교적 두툼하며 팔은 5개이고 다른 종들보다 짧고 점차 가늘어진다. 몸 전체의 길이는 3~4cm 정도로 작다. 체색은 선명한 붉은색인데 팔의 테두리를 따라 연해지며, 팔 끝이 항상 뒤로 젖혀져서 희게 보인다. 독도에서는 조하대 얕은 수심의 돌밑에서 서식하며 우리나라 전 해역에 분포한다.

동도 선착장 3m

별불가사리

Patiria pectinifera (Muller & Troschel, 1842)

몸은 별 모양으로 몸통은 크고 팔은 짧다. 몸 윗면은 짙은 남색 바탕에 붉은색 또는 주황색의 불규칙적인 무늬가 있다. 대체로 배면은 밝은 주황색이다. 독도에서는 수면 근처의 얕은 수심에서부터 깊은 수심까지 넓게 분포하며, 죽은 동물의 사체에 무리지어 몰려든다. 포식성이 매우 강하며 우리나라 전 해역에 분포한다.

동도 부채바위 20m

입방불가사리

Pteraster tesselatus Ives, 1888

몸은 둥근 별 모양이며 전체적으로 크게 부풀어 있다. 체색은 자색 또는 갈색, 적색 등으로 다양한 색을 띠며 약간 검거나 파란색의 무늬가 있기도 하다. 독도에서는 수심 20~30m의 암반에서 간혹 발견되며 자극을 받으면 투명한 점액질을 분비한다. 우리나라 제주, 남해, 동해에 분포한다.

가제바위 25m

뱀거미불가사리

Ophiarachnella gorgonia Müller & Troschel, 1842

몸통은 두껍고 원 모양으로 얇은 비늘로 덮여 있으나 이 비늘은 작은 과립으로 매우 치밀하게 덮여 있어서 완전히 감추어져 있다. 폭순은 작고 난형이며 서로 멀리 떨어져 있다. 몸의 등쪽은 어둡고 연한 색의 조각 무늬가 있고 팔은 띠 무늬가 나타난다. 우리나라 거미불가사리 중에서는 대형종으로 조간대 저조선이나 조하대 돌밑에서 흔히 발견된다.

동도 선착장 5m

짧은가시거미불가사리

Ophiothrix exigua Lyman, 1874

몸통은 비늘을 볼 수 없을 정도로 전체가 가시로 덮여 있다. 팔에는 길고 납작한 가시(완극)가 일정하게 돋아있고 가시에는 톱니가 발달해 있다. 살아 있을 때 몸은 푸른색이나 붉은색을 띠며 팔에는 띠 무늬가 연속해서 나타난다. 독도에서는 주로 조하대의 돌밑이나 굴과 같은 부착생물의 틈에서 서식한다. 우리나라에서 가장 흔한 종이며 전 세계적으로 분포한다.

동도 선착장 5m

아팰불가사리

Aphelasterias japonica (Bell, 1881)

외형은 전형적인 불가사리 모양이며 몸통과 팔에는 전체적으로 까칠한 돌기들이 덮여있다. 몸통의 중앙에서부터 팔을 따라 줄무늬가 나타나지만 뚜렷하지 않을 때도 있다. 체색은 다양하여 붉은색, 적갈색의 바탕에 다양한 무늬의 돌기들이 흩어져 있다. 독도에서는 비교적 흔한 종이며 제주도를 제외한 우니라나 전 연안에 분포한다.

동도 부채바위 25m

범얼룩갯고사리

Decametra tigrina (Clark, 1907)

몸통은 원반 모양이며 중앙 부위는 넓고 편평하다. 권지는 비교적 길고 26~30개가 있으며 각 권지는 28마디로 이루어진다. 팔은 10개이며 길이는 10cm 내외이다. 팔에는 노란색과 암갈색 무늬가 번갈아 있으나 일정하지 않다. 독도에서는 수심 15~30m 범위의 돌밑이나 암반 위에서 드물게 발견되는데 남해 외해도서들에서는 크게 무리지어있다.

동도 독립문바위 27m

말똥성게

Hemicentrotus pulcherrimus (Agassiz, 1863)

외형은 반구 모양으로 낮고 편평하며 껍질은 약한 편이다. 보대와 간보대의 폭이 거의 유사하며 가시는 가늘고 짧다. 크기는 3cm 내외이며 독도에서는 수심 2~30m의 모래바닥 돌밑에서 주로서식한다. 우리나라 전 연안에 서식하는 흔한 종이며 제주도에서는 알을 식용으로 이용한다.

동도 선착장 3m

둥근성게

Mesocentrotus nudus (Agassiz, 1863)

몸통은 반구 모양으로 가시는 어두운 자색이며 가시에는 옅은 황록색 또는 녹색의 띠가 있다. 가시가 없는 몸통은 보통 검은 자주색이다. 우리나라의 대표적인 조식동물로써 독도에서는 수심 20~40m의 암반지대, 특히 갯녹음이 발생된 곳에 크게 무리지어 있다. 제주도를 제외한 전 해역에 분포하며 알은 식용으로 이용된다.

서도 앞 보찰바위 25m

분홍성게

Pseudocentrotus depressus (Agassiz, 1863)

몸통은 위쪽에서 볼 때 거의 오각형이다. 큰 가시는 몸통 지름의 약 1/3 보다 짧다. 몸통은 적갈색을 띠고 가시는 연한 분홍색에 가깝다. 비교적 대형인 종으로 독도에서는 수심 20~30m 암반 틈에서 간혹 발견된다. 우리나라에서는 제주, 남해, 동해에 드물게 분포한다.

동도 부채바위 25m

큰염통성게

Brissus agassizii Döderlein, 1885

몸통은 위에서 볼때 타원형이며 앞쪽보다 뒤쪽이 좁다. 화문은 가늘고 길며 깊게 홈을 이루며 함몰해 있다. 위화문대선과 항하대선이 있으며 생식공은 4개이다. 성게류 중에서 큰 종으로 패각의 길이는 10cm 내외이다. 독도에서는 보통 수심 25m의 모래를 파고들어가서 서식하며, 우리나라에서는 제주, 남해, 동해에 분포한다.

동도 부채바위 25m

개해삼

Holothuria (*Mertensiothuria*) *hilla* Lesson, 1830

몸은 굵고 긴 원통형이며 길이 30cm 내외, 너비 6cm 내외이다. 몸 색깔은 등쪽이 연한 갈색을 띠며 짙은색 점들이 돌기들을 따라 분포해 있다. 껍질은 단단하고 질기다. 독도에서는 수심 20~30m의 암반이나 모래바닥에 서식한다. 우리나라 서해 남부를 포함하여 전 해역에 분포한다. 식용으로 이용되지 않는다.

동도 부채바위 25m

돌기해삼

Apostichopus japonicus (Selenka, 1867)

몸은 긴 타원형으로 뒤끝이 약간 갸름하다. 몸의 크기는 다양하며 체색도 다양한데 주로 녹색과 갈색을 띤다. 몸의 표면에는 작은 돌기들이 흩어서 있고, 여러 개의 원뿔모양의 큰 돌기들이 뚜렷이 돋아있다. 독도에서는 수심 20m 내외의 해조류가 있는 암반에서 주로 서식한다. 우리나라 전 해역에 분포하며, 식용으로 매우 인기 높은 종이다.

구선착장 20m

국화판멍게

Botryllus tuberatus Ritter & Forsyth, 1917

군체멍게로 기질을 얇고 편평하게 덮는다. 표면은 매끈하며 우무질이고 몇 개의 개충이 모여 꽃무늬를 이룬다. 체색은 보통 갈색을 띤 보라색이다. 독도에서는 대형 갈조류의 부착기나 기둥, 미더덕과 같은 부착동물 표면, 매끈한 암반면 등 다양한 기질에 붙어서 산다. 우리나라 전 해역에 분포한다.

구선착장 20m

벼개멍게

Herdmania mirabilis (von Drasche, 1884)

몸은 길쭉한 원통형으로 앞쪽에 입수공이 길쭉하게 신장되어 있고 뒤쪽 끝에 짧게 출수공이 돋아있다. 체색은 연한 살구색이며 표면은 매끈하고 몸의 길이는 10cm정도이다. 독도에서는 수심 25m의 돌멩이 밑에 붙어있는 개체가 확인되었으며 굴류의 틈에서도 드물게 발견된다. 우리나라 남해와 동해에 분포한다.

가제바위 30m

미더덕

Styela clava Herdman, 1881

몸은 곤봉모양이며 보통 긴 자루를 가지는데 껍질이 거칠고 주름 잡혀 있다. 몸의 표면에는 둥근 돌기가 돋아 있으며 길이는 보통 10cm 내외 이다. 입수공과 출수공은 몸의 앞쪽 끝에 있다. 몸의 색은 사는 곳에 따라 다양하게 나타나며 주로 황갈색 또는 회갈색 계열이다. 우리나라 연안에서 흔히 볼 수 있는 종이다.

동도 독립문바위 25m

큰살파

Salpa maxima Forskål, 1775

몸은 원통형으로 멍게모양이다. 몸은 비교적 단단하며 표면은 매끈하고 반투명한데 횡으로 여러 개의 띠가 나타난다. 입수관은 위쪽에 있고 줄수관은 아래쪽에 위치하며 수류를 일으켜 물속을 떠다닌다. 살파류 중에서 큰종에 속하며 여러 개가 붙어서 띠를 이룬다. 독도에서는 여름시기 주로 관찰된다.

동도 독립문바위 20m

군부

Liolophura japonica (Lischke, 1873)

몸은 타원형으로 길이 약 5cm까지 자란다. 육대에는 작은 가시돌기가 빼곡하고 옅은 적갈색 바탕과 흰색 줄무늬가 있다. 각판은 닳아서 거칠게 보이고 회갈색 바탕에 흑갈색 무늬가 나타난다. 조간대의 바위틈이나 돌 밑에 붙어 서식하며, 우리나라 전 연안에 분포한다. 국내 다판류를 대표하는 종으로써 조간대 환경 지표종으로 가치가 있다.

가제바위 조간대

비단군부

Onithochiton hirasei Pilsbry, 1901

몸은 긴 타원형으로 길이 3cm 내외이다. 육대는 매끈하고 주로 회갈색인데 변이가 심하다. 다른 군부류 보다 육대의 폭이 넓어 각폭의 절반 이상을 차지한다. 각판에는 세로줄 무늬가 있고 다양한 빛깔이 비단결처럼 나타난다. 조간대 하부의 돌이나 바위 밑에 붙어 서식하며, 제주, 남해, 동해남부, 울릉도 및 독도에 분포한다.

동도선착장 2m

가는줄연두군부

Ischnochiton boninensis Bergenhayn, 1933

몸은 긴 타원형으로 길이 2cm 내외이다. 육대가 좁아 각판이 몸의 대부분을 덮고 있는 것처럼 보인
다. 각판의 가운데는 부채꼴 모양이고 좌, 우 측면에는 방사상 주름이 뻗어 있다. 외형은 연두군부와
매우 비슷한데, 육대의 비늘에는 미세한 세로줄이 있는 점에서 차이가 있다. 조하대 얕은 수심의 돌
밑에서 흔히 발견되며, 우리나라 전 연안에 분포하는 온대성 종이다.

동도 부채바위 10m

연두군부

Ischnochiton comptus (Gould, 1859)

몸은 긴 타원형으로 길이 약 2cm 이내이다. 각판에는 불규칙한 무늬가 서로 얼룩져 있고, 육안으로 볼 수 있는 방사상 잔주름 흔적이 나타나는데, 그 중 두판에는 50~60줄 이상의 방사상 주름이 보인다. 조하대 얕은 수심의 암반지대에서 흔하게 나타나는데, 주로 돌을 뒤집으면 여러 개체가 붙어 있다. 우리나라 전 연안과 일본에서부터 아프리카 동부까지 분포하는 광분포형 종이다.

동도 부채바위 5m

검은테군소

Aplysia parvula Mörch, 1863

몸길이 약 2cm 내외로 머리, 몸통, 꼬리로 구분되며, 머리부터 꼬리까지 좌우 가장자리를 따라 짙은 밤색 또는 검정색의 테두리가 뚜렷하게 나타난다. 서해남부(가거도), 제주, 남해, 동해, 울릉도 및 독도와 아프리카 남부 연안까지 분포하는 난류성 종이다.

동도 선착장 3m

군소

Aplysia kurodai (Baba, 1937)

몸길이 약 40cm까지 자라는 대형종으로 머리, 몸통, 꼬리로 구분되며, 검은 갈색 바탕에 흰 반점이 무수히 퍼져 있다. 패각은 퇴화되어 얇고 볼록한 렌즈 모양으로 등의 가운데에 묻혀 있나. 조간내 하부에서부터 수심 약 10m 범위에 주로 서식하며 해조류를 갉아먹는데, 먹이 조건에 따라 한 달 사이에 두 배 이상으로 성장하기도 한다. 우리나라 전 연안과 일본, 중국 연안에 분포한다. 물리적 자극을 받거나 수질 환경이 변하면 외투 오른쪽 아래에 있는 분비샘에서 보라색 분비물을 뿜어낸다.

서도 외곽 10m

말군소

Aplysia juliana Quoy & Gaimard, 1832

몸길이 약 30cm 이상 자라는 대형종으로 머리, 몸통, 꼬리로 구분되며, 밝은 갈색 바탕에 올리브색 또는 흰색 무늬가 불규칙하게 나타난다. 패각은 얇고 반투명한 타원형이며 등의 가운데에 묻혀 있다. 암석해안의 얕은 수심에 서식하며, 봄에서 여름에 걸쳐 끈 모양의 난괴를 산란한다. 서해남부(가거도), 남해, 제주, 동해남부, 울릉도 및 독도 연안과 전 세계 온대 해역에 분포한다. 물리적 자극을 받거나 수질환경이 변하면 우윳빛 분비물을 내뿜는다.

서도 똥여 5m

왕전복

Haliotis madaka (Habe, 1979)

패각은 난원형으로 길이 약 15cm까지 자라는 대형종으로 두껍고 단단하다. 표면은 적갈색 또는 흑갈색을 띠며, 울퉁불퉁하고 불규칙한 싱장맥이 굴곡을 이룬다. 호흡공은 4~5개이며 높게 솟아 있다. 수심 약 50m까지의 암초지대에 서식하며, 제주와 독도 연안에서만 분포가 확인되었다. 독도에서는 수심 20m의 해조류가 많은 암반에서 발견되었다.

구선착장 20m

각시수염고둥

Monoplex parthenopeus (Marschlins, 1793)

패각은 방추형으로 길이 약 7cm 내외이다. 표면은 흑갈색이고 두툼한 판상의 각피로 덮여 있으며 긴 털이 촘촘하게 줄지어 있다. 독도에서는 수심 10~25m의 암반에 서식하며, 서해남부(가거도), 제주, 남해, 동해 남부, 울릉도 및 독도와 일본 연안에 분포한다.

가제바위 20m

주홍토끼고둥

Sandalia triticea (Lamarck, 1810)

패각은 좌우 양쪽 끝이 뾰족한 방추형으로 1cm 내외이며, 체색은 서식하는 산호에 따라 황백색, 오렌지색, 붉은 장미색 등 변이를 보인다. 독도에서는 수심 15~20m의 부채뿔산호류에 서식하며, 우리나라 전 연안과 일본, 중국 등지에 분포한다.

가제바위 20m

큰뱀고둥

Thylacodes adamsii (Mörch, 1859)

패각은 뱀이 똬리를 튼 모양으로 5cm 내외이며, 회갈색 또는 회백색을
띤다. 조하대 얕은 수심의 암반에 단단히 부착하며, 우리나라 전 연안과
일본, 중국에 분포하는 온대성 종이다.

동도 선착장 조간대

매끈이고둥

Kelletia lischkei Kuroda, 1938

패각은 각정이 길고 뾰족한 방추형으로 약 7cm 내외이며 두껍고 단단하다. 체색은 베이지색, 녹갈색, 또는 보랏빛이 감도는 녹색 등으로 다양하게 나타난다. 독도에서는 수심 15~30m 사이의 암반에서 흔히 발견된다. 서해 남부(가거도), 제주, 남해, 동해와 남중국해, 일본에 분포한다. 육식성으로 야간에 바닥을 기어 다니며 포식활동을 한다.

서도 외곽 20m

보리무륵

Mitrella bicincta (Gould, 1860)

패각은 각정이 길고 뾰족한 방추형으로 길이 1.5cm 내외로 작지만 단단하다. 표면에는 황갈색 바탕에 여러 무늬가 나타난다. 조간대 하부에서부터 수심 10m 범위의 자갈이나 암반에서 흔히 발견되며, 우리나라 전 연안과 일본, 중국에 분포한다. 잘 발달된 긴 수관으로 먹이를 찾는 육식성으로 죽어있는 생물에 몰리는 모습을 볼수 있다.

가제바위 5m

맵사리

Ceratostoma rorifluum (Adams & Reeve, 1849)

패각은 방추형이며 길이 2~5cm 내외로 두껍고 단단하다. 표면에는 사방으로 기다란 융기가 발달해 있다. 암반 조간대 하부에 서식하며, 우리나라 전 연안과 일본, 중국 등에 분포하는 온대성 종이다. 맵사리라는 이름은 매운맛이 나기 때문에 붙여진 이름이다.

동도 부채바위 조간대

탑뿔고둥

Ergalatax contracta (Reeve, 1846)

패각은 각정이 높게 솟은 방추형으로 길이 약 3cm이다. 체색은 백색에서 담황색까지 다양하고, 표면에는 7개의 두드러진 융기가 가로로 솟아 있다. 조간대 하부에서부터 수심 약 30m 범위의 암반에 서식한다. 서해남부(가거도), 제주, 남해, 동해남부, 울릉도 및 독도와 일본, 대만, 중국, 필리핀, 남태평양, 아프리카에 분포하는 난류성 종이다.

동도 부채바위 10m

대수리

Reishia clavigera (Küster, 1860)

패각은 방추형으로 길이 1~3cm이다. 표면에는 각 나층을 따라 혹이 줄지어 있고 그 사이에 2줄의 흰색 실선이 나타난다. 조간대 중·하부에 서식하며, 우리나라 전 연안과 일본, 중국에 분포하는 온대성 종이다. 암석 해안에서 가장 흔한 종으로 대수리라는 이름은 수가 많다는 것에서 붙여진 이름이다.

동도 선착장 조간대

두드럭고둥

Reishia bronni (Dunker, 1860)

패각은 방추형으로 길이 약 3~5cm이고 표면에는 둥글게 부푼 혹이 나선형으로 도드라져 있다. 수심 5m 내외의 암석지대에 서식하며, 우리나라 전 연안에 분포한다. 육식성으로 봄철에 산란하며, 부착성 조개류나 움직임이 느린 다른 고둥류 또는 따개비류의 패각에 구멍을 뚫고 육질을 섭식한다.

동도 선착장 5m

구슬띠물레고둥

Engina menkeana (Dunker, 1860)

패각은 각정이 가늘고 긴 원추형으로 길이 약 1cm이다. 각 나층에는 10~12개의 길쭉한 과립이 있으며, 흰색과 흑갈색이 교대로 나타난다. 우리나라에서는 외해도서의 조간대 하부에서 조하대 암반의 해조류 군락이 발달한 곳에 주로 서식하며, 일본과 중국에 분포하는 온대성 종이다.

가제바위 20m

검은점갈비고둥

Granata lyrata (Pilsbry, 1890)

패각은 둥글납작한 편으로 길이 약 1cm 내외이다. 표면에는 회백색 바탕에 작은 돌기들이 줄지어 있으며 검정색 무늬가 일정한 간격으로 보인다. 독도에서는 수심 10~30m 사이의 자갈 밑이나 굴류 군락 틈에서 여러 개체가 발견된다. 쿠로시오 난류의 영향을 받는 연안 해역에 분포한다.

가제바위 서북쪽 5m

누더기팥알고둥

Homalopoma amussitatum (Gould, 1861)

패각은 팥알 모양으로 길이 약 1cm 내외이며 선명하고 진한 붉은색을 띤다. 표면에는 굵은 나륵이 6~8줄이 있다. 독도에서는 수심 10~30m 범위의 암반에서 여러 개체가 발견된다. 동해, 울릉도 및 독도 연안에 분포한다.

가제바위 15m

팽이고둥

Omphalius pfeifferi carpenteri (Dunker, 1860)

패각은 각구가 편평한 원뿔형으로 길이 4~6cm이며, 표면에는 세로줄 무늬가 뚜렷하게 나타난다. 조간대 하부에서부터 얕은 수심까지의 암석지대에 서식하며, 서해남부(가거도), 제주, 남해, 동해남부, 울릉도 및 독도 연안에 분포한다.

동도 선착장 5m

두줄얼룩고둥

Cantharidus bisbalteatus Pilsbry, 1901

패각은 높게 솟은 원뿔형으로 길이 약 1cm 이내이며, 표면에는 선홍색 바탕에 검은섬으로 된 나선형 줄무늬가 있다. 조산대 하부의 암반이나 해조류 사이에 서식하며, 제주, 남해, 동해남부, 울릉도 및 독도 연안과 일본에 분포한다.

가제바위 1m

납작소라

Pomaulax japonicus (Dunker, 1845)

패각은 납작한 원뿔형으로 길이 약 15cm 정도의 대형종이다. 표면은 황
갈색을 띠고 있으며 판상의 돌기가 나선형으로 배열되어 있다. 독도에
서는 수심 20~30m의 자갈 바닥에서 주로 발견되며 개체수가 많지 않
다. 제주, 남해, 동해남부, 울릉도 및 독도 연안에 서식한다.

똥여 서쪽 20m

소라

Turbo cornutus Lightfoot, 1786

패각은 원형의 돌탑 모양으로 길이 약 10cm 정도의 대형종이다. 표면은 녹갈색에서 짙은 밤색까지 다양하게 나타나며, 가늘고 긴 뿔모양의 관상 돌기가 나층을 따라 가시처럼 돌출해 있다. 조간대 하부에서부터 수심 약 30m 범위의 암반에 서식하며, 서해남부(가거도), 제주, 남해, 동해남부, 울릉도 및 독도와 일본, 중국, 타이완 등 아시아 동북부 지역에 분포한다. 우리나라의 대표적인 식용 패류이다.

동도와 서도 사이 8m

흰삿갓조개

Niveotectura pallida (Gould, 1859)

패각은 삿갓형으로 길이 약 5cm 내외이며, 뒤쪽이 다소 넓은 타원형이다. 표면은 백색 또는 담황색을 띠고 각정은 패각의 중앙 앞쪽에 위치한다. 조간대 하부에서부터 수심 약 30m 범위의 암석지대에 서식하며, 제주도를 제외한 우리나라 전 연안과 중국, 일본, 대만, 러시아에 분포하는 한류성 종이다. 우리나라의 삿갓조개류 중에서는 가장 크다.

동도 부채바위 10m

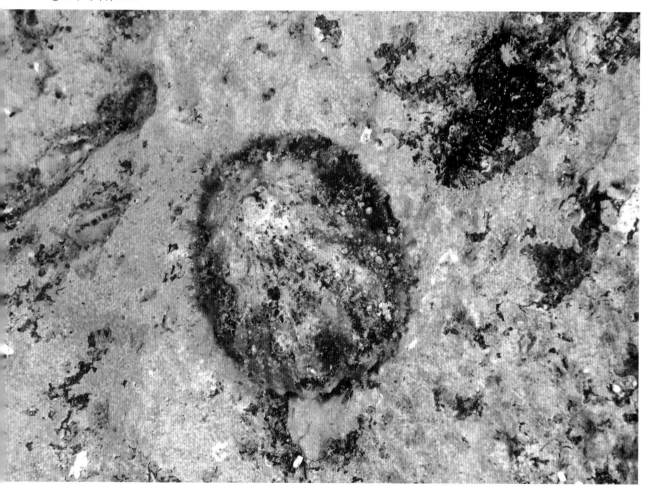

애기삿갓조개

Cellana toreuma (Reeve, 1854)

패각은 납작한 삿갓형으로 길이 약 3cm 내외이며, 표면에는 방사상 무늬가 불규칙하게 나타난다. 조간대 중·하부의 암반에 무리 지어 서식하며, 우리나라 전 연안과 일본, 중국, 필리핀에 분포하는 온대성 종이다.

동도 선착장 조간대

흰갯민숭달팽이

Chromodoris orientalis Rudmann, 1983

몸은 납작하고 타원형으로 길이 약 2cm 내외이다. 체색은 흰색 바탕에 검정색 반점이 불규칙하며 가장자리에는 노란색 테두리가 선명하다. 조간대 하부에서부터 수심 약 30m 범위의 암반에 서식하며, 우리나라를 포함하여 남태평양에 분포하는 난류성 종이다.

동도 부채바위 15m

망사갯민숭달팽이

Goniobranchus tinctorius (Rüppell & Leuckart, 1830)

가제바위 15m

몸은 납작하고 타원형으로 길이 약 2~3cm 내외이다. 체색은 흰색 바탕에 붉은색의 그물무늬가 있으며 가장자리에는 노란색 테두리가 선명하다. 조간대 하부에서부터 수심 약 15m 범위의 암반에 서식하며, 우리나라 전 연안과 일본, 중국, 대만 등에 분포하는 온대성 종이다.

점점갯민숭달팽이

Goniobranchus aureopurpureus (Collingwood, 1881)

몸은 납작하고 긴 타원형으로 길이 약 2cm 내외이다. 체색은 흰색 바탕에 노란 점무늬가 있고 몸의 가장자리에는 보라색 점선으로 된 테두리가 있다. 수심 약 5~20m의 암반지대 서식하며, 서해남부, 제주, 남해, 동해, 울릉도 및 독도에 분포한다.

동도 부채바위 10m

파랑갯민숭달팽이

Hypselodoris festiva (Adams, 1861)

몸은 납작하고 길게 늘어진 타원형으로 길이 약 2cm 내외이다. 체색은 파란색이며 몸의 가장자리에 노란색 테두리가 있고 등에는 3열의 점선 또는 실선이 있다. 조하대 하부 수심 약 30m까지의 암반에 서식하며, 우리나라와 일본에 분포한다.

가제바위 15m

여왕갯민숭달팽이

Dendrodoris krusensternii (Gray, 1850)

몸은 방추형으로 길이 약 5cm 내외이며 등 쪽이 다소 부풀어 있다. 체색은 밤색 또는 갈색으로 등에는 3개의 굵고 주름진 돌기와 푸른 형광빛 반점들이 각기 2열로 줄지어 있다. 주로 조하대 수심 5~20m의 암반에 서식하며, 우리나라, 일본, 인도 서태평양에 분포하는 난류성 종이다.

동도 부채바위 10m

구름갯민숭달팽이

Platydoris ellioti (Alder & Hancock, 1864)

몸은 납작하고 타원형으로 길이가 약 7cm 내외이다. 체색은 진한 갈색에서 주황색까지 다양하고 등에는 유백색의 반섬이 골고루 분포한다. 소간대 하부에서부터 수심 약 20m 범위의 암반 밑이나 바위틈에 서식한다. 서해남부(가거도), 제주, 남해, 울릉도 및 독도 연안과 일본, 중국, 대만에 분포하는 온대성 종이다.

가제바위 10m

두드럭갯민숭달팽이

Homoiodoris japonica Bergh, 1882

몸은 난원형으로 등쪽으로 부풀어 있고 길이 약 5cm 이상 자란다. 체색은 황갈색 또는 노란색 바탕에 크고 작은 혹모양의 돌기가 등 전체를 덮고 있는데, 가운데의 돌기는 다소 크고 뚜렷하다. 수심 5~30m 범위의 암반에 서식하며, 우리나라 전 연안에 분포한다.

가제바위 5m

눈송이갯민숭이

Sakuraeolis gerberina Hirano, 1999

몸은 가늘고 길며 길이 약 5cm 내외이다. 체색은 분홍빛이 감도는 흰색이 서나 옅은 선홍색이다. 수심 약 5~15m의 큰산호붙이히느라(*Solanderia misakinensis*) 가지에 주로 서식하며, 서해남부(가거도), 제주, 남해, 동해, 독도 및 울릉도 연안에 분포한다.

가제바위 15m

하늘소갯민숭이

Hermissenda crassicornis (Eschscholtz, 1831)

몸은 가늘고 길며 길이 약 3cm 내외이다. 체색은 반투명한 흰색이며 등에 1줄의 노랑색 무늬가 있다. 아가미는 외투의 가장자리를 따라 5~6쌍으로 배열되어 있고 밝은 주황색을 띤다. 조하대 수심 5~20m의 히드라류 주변에서 주로 관찰된다. 서해남부(가거도), 남해, 동해, 울릉도 및 독도 연안에 분포하는데, 최근에는 동해안에서 주로 나타난다.

가제바위 10m

검정갯민숭이

Protaeolidiella atra Baba, 1955

몸은 가늘고 길며 길이 약 2cm 내외이다. 체색은 발을 제외하고 전체적으로 검정색이다. 두촉수와 아가미 돌기의 끝은 흰색이다. 주로 큰산호붙이히드라(*Solanderia misakinensis*)의 폴립을 먹으며, 그 가지에 분홍색알을 낳는다. 난류성 종의 분포 특성을 보인다.

서도 똥여 15m

예쁜이갯민숭이

Tritonia festiva (Stearns, 1873)

몸은 긴 타원형으로 길이 약 8cm 정도까지 자란다. 체색은 반투명한 주황색 또는 우윳빛을 띠며 등 전체에 흰색 줄무늬가 나타난다. 조하대 수심 약 20m 주변의 암반에 서식하며, 서해남부(가거도), 남해, 동해, 울릉도 및 독도에 분포한다.

가제바위 20m

올빼미군소붙이

Pleurobranchaea japonica Thiele, 1925

몸은 올빼미를 닮은 모양으로 위아래로 납작하며, 길이 약 5cm 이상 자란
다. 체색은 연한 갈색으로 몸 전체에 그물무늬가 불규칙하게 나타난다. 조
간대 하부에서부터 수심 30m 범위의 암반에 서식하며, 우리나라 전 연안
과 일본, 중국에 분포하는 온대성 종이다.

동도 부채바위 8m

빨강갯민달팽이

Berthellina citrina (Ruppell & Leuckart, 1828)

몸은 기다란 반구형으로 길이 약 3cm 내외이다. 체색은 주황색 또는 옅은 노란 색으로 표면이 매끈하다. 아가미는 오른쪽 외투막 아래에 위치한다. 조하대의 대황이나 감태와 같은 대형 갈조류의 부착기 틈에 주로 서식하며, 서해남부(가거도), 제주, 남해, 동해, 울릉도 및 독도와 남태평양에 분포하는 광분포형 종이다.

서도 똥여 10m

녹색날씬이갯민숭이붙이

Elysia abei Baba, 1955

몸은 날씬하고 길며 양옆으로 날개가 달린 모양으로 길이 약 1.5cm 내외이다. 제색은 녹색 또는 짙은 갈색을 띠며 작고 불규칙한 흰색 반짐이 몸 진체에 가득하다. 촉각은 짙은 자주색을 띠며 머리의 가운데에서부터 몸통 가장자리를 따라 흰색 띠가 나타난다. 조하대 수심 약 10m 이내의 녹조류가 발달한 곳에 서식하며, 제주, 울릉도 및 독도에서 분포가 확인되었다.

동도 선착장 5m

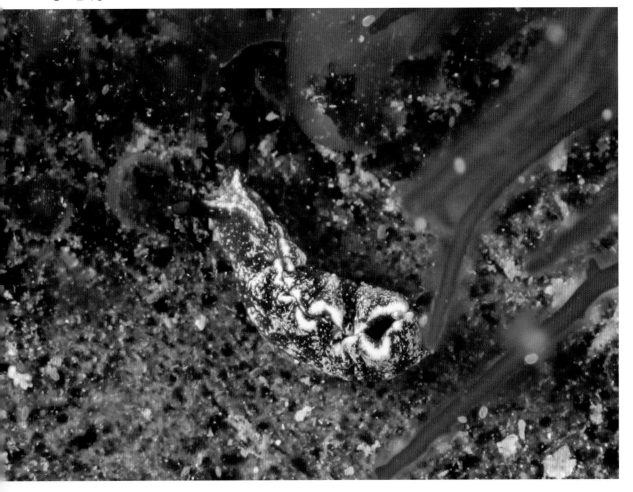

초록날씬이갯민숭이붙이

Elysia atroviridis Baba, 1955

몸은 날씬하고 길며, 양옆으로 날개가 달린 모양으로 길이 약 2cm 내외이다. 체색은 짙은 녹색으로 몸 전체에 흰 반점이 불규칙하게 나타난다. 촉각은 짙은 청색이고 몸통 가장자리를 따라 흰색 테두리가 있다. 조하대 수심 약 20m 이내의 녹조류가 발달한 곳에 서식하며 제주, 울릉도 및 독도에서 분포가 확인되었다.

동도 선착장 5m

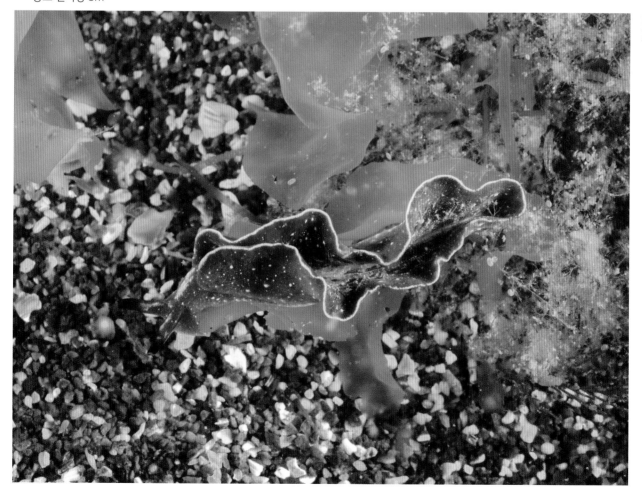

긴네모돌조개

Arca boucardi Jousseaume, 1894

패각은 뒷쪽이 길게 뻗어 있고 길이는 약 3cm 내외이다. 표면은 황갈색 또는 황백색을 띠는데 어린개체에서 검정색의 각피모가 있다. 수심 10~50m의 암반 틈에 부착하여 서식하며, 서해남부(가거도), 제주, 남해, 동해남부, 울릉도 및 독도와 일본, 중국, 대만에 분포한다.

가제바위 20m

왕복털조개

Porterius dalli (Smith, 1885)

패각은 둥근 사다리꼴 모양으로 길이 약 2cm 내외이고, 얇지만 단단하다. 표면은 황갈색으로 각정을 중심으로 방사상의 각피모가 일정하게 배열되어 있다. 독도에서는 수심 10~25m의 돌 밑에 서식하며, 서해남부(가거도), 제주, 남해, 동해남부, 울릉도 및 독도와 일본에 분포한다.

서도 똥여, 20m

애기돌맛조개

Leiosolenus lischkei Huber, 2010

패각은 길고 누운 원통형으로 길이 약 2cm 내외이며 얇고 부서지기 쉽다. 표면은 황갈색이고 매끈하며, 내면에는 강한 진주광택이 있다. 수심 10~20m의 암반 또는 부착생물의 패각에 구멍을 뚫고 서식하며, 서해 남부(가거도), 제주, 남해, 동해남부, 울릉도 및 독도와 서태평양 해역에 분포한다.

가제바위 15m

홍합

Mytilus unguiculatus Valenciennes, 1858

패각은 길쭉한 계란형으로 두껍고 단단하며 길이 15~20cm 정도이다. 표면에는 성장맥이 뚜렷하며 따개비, 해면, 굴 등 다른 부착생물이 붙어 있고, 안쪽 면은 보라색 광택과 진주광택이 선명하게 나타난다. 조간대 하부에서부터 수심 20m 이상까지 서식하는데, 보통 수심 5m 내외에서 군락을 이룬다. 서해중부 이남, 제주, 남해, 동해남부, 울릉도 및 독도와 일본, 중국, 알래스카에 분포한다. 홍합과에 속하는 종 중에 가장 크다.

가제바위 15m

주름꼬마굴

Neopycnodonte cochlear (Poli, 1795)

패각은 얇고 날카로우며 길이 약 5cm 내외로 외형은 부착면에 따라 다양하다. 독도에서는 수심 20~50m 범위의 경사진 암반에서 군락을 이룬다. 동해남부, 울릉도 및 독도에 분포하며 열대 및 아열대 지역 전반에 걸쳐 서식하는 남방형 종이다.

가제바위 외곽 20m

태생굴

Striostrea circumpicta (Pilsbry, 1904)

패각은 납작한 원형에 가깝지만 부착면에 따라 달라지며 길이 약 10cm 내외이다. 각정 부근 아래 양쪽에는 톱니 모양의 돌기가 4~5개 있다. 왼쪽 패각은 항상 암반에 부착하고 오른쪽 패각은 편평한데 다양한 부착 생물들이 붙어 있어 주변 환경과 쉽게 구별되지 않는다. 독도에서는 수심 10~30m 범위에 주로 서식하며, 서해남부(가거도), 제주, 남해, 동해남부, 울릉도 및 독도에 분포한다.

동도 부채바위 15m

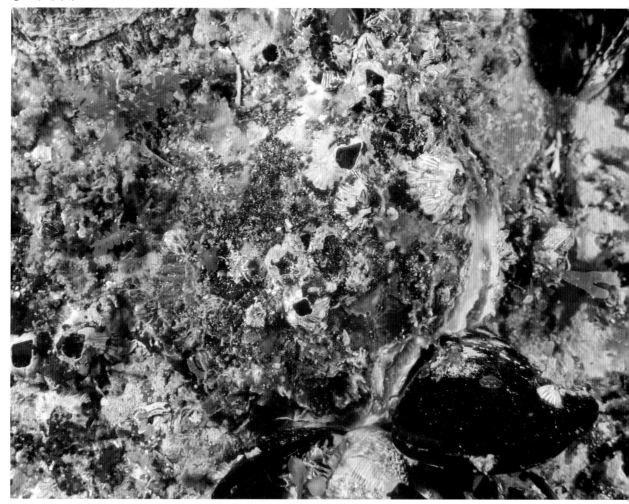

개굴잠쟁이

Anomia chinensis Philippi, 1849

패각은 납작하고 볼록한 원형에 가까우며 길이 3~5cm 내외이다. 외형은 부착기질이나 서식환경에 따라 불규직하다. 조간대 하부에서 얕은수심의 암반에 부착하여 서식하며, 우리나라의 전 연안과 일본, 중국, 대만, 인도네시아까지 분포하는 남방형 종이다.

가제바위 서북쪽 10m

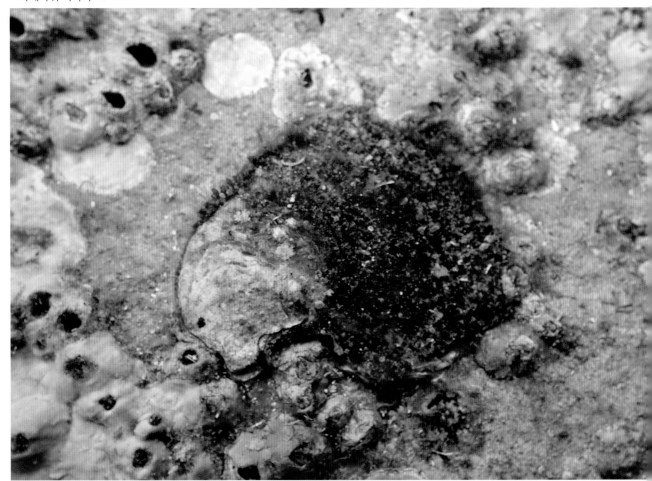

참문어

Octopus vulgaris Cuvier, 1797

몸은 타원형에 가깝고 길이 1m 내외의 대형종이다. 몸통은 머리와 다리로 구분되며 근육질인데, 머리의 뒤쪽이 불룩하게 튀어나온 경우도 있다. 체색은 자갈색 또는 암갈색이며, 크고 작은 반점이 불규칙하게 나타난다. 독도에서는 조간대 하부에서부터 수심 약 50m 범위의 큰 바위나 암반 틈에 서식하며, 우리나라 전 연안과 일본, 중국 및 중남미 해역에 분포한다.

가제바위 1m

연두끈벌레

Lineus fuscoviridis Takaura, 1898

몸은 긴 끈 모양으로 가늘고 길게 늘어난다. 체색은 녹색이나 짙은 연두색을 띠며 매끈하고 광택이 난다. 독도에서는 수심 10~30m의 암반 위나 모래바닥을 기어다니는 모습이 관찰된다. 우리나라 전 연안에 분포한다.

독립문바위 20m

빛꽃갯지렁이

Chone infundibuliformis Krøyer, 1856

몸길이 35mm 내외의 작은 갯지렁이류이다. 왕관은 10~11쌍의 방산관
을 가진다. 독도에서는 수심 25m 내외의 진흙 섞인 모래바닥에 얕게 서
관을 만들고 그 속에서 서식한다. 우리나라 동해안과 남해안에 분포하
는데 특히 독도나 울릉도에서 크게 군락을 이룬다. 일본과 알래스카에
분포하는 냉수성 종이다

동도 해녀바위 27m

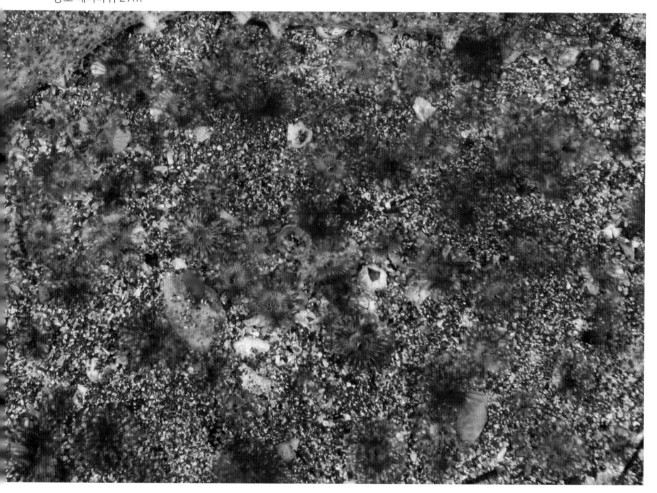

INDEX(국명)

INDEX(학명)